S0-CCL-571

El ratón de campo y el ratón de ciudad

Copyright © 2007 Publications International, Ltd.

Todos los derechos reservados. Este libro no puede ser reproducido en su totalidad
o en parte por ningún medio, sin la autorización por escrito de:

Louis Weber, C.E.O., Publications International, Ltd.
7373 North Cicero Avenue, Lincolnwood, Illinois 60712

Ground Floor, 59 Gloucester Place, London W1U 8JJ

Servicio a clientes: customer_service@pilbooks.com

www.pilbooks.com

p i kids es una marca registrada de Publications International, Ltd.

Fabricado en China.

8 7 6 5 4 3 2 1

ISBN-13: 978-0-7853-8668-1
ISBN-10: 0-7853-8668-8

El ratón de campo
y el
ratón de ciudad

Ilustrado por Dominic Catalano
Adaptado por Lisa Harkrader

Traducción:
Claudia González Flores y Arlette de Alba

Publications International, Ltd.

Había una vez un ratón de campo llamado Oliver que vivía en un agujero bajo la raíz de un enorme y viejo roble. Oliver adoraba el sonido del parloteo de las ardillas durante el día y el chirrido de los grillos en la noche.

Un día, Oliver invitó a su primo de la ciudad, Alister, a visitarlo. Antes de que Alister llegara, Oliver limpió su agujero. Arregló su cama de hoja de roble. Esparció hojas de pino frescas sobre el suelo. Limpió la lata de atún que usaba como mesa y pulió las tapas de botellas que utilizaba como platos.

Cuando Alister llegó, colocó su maleta de piel fina sobre la alfombra de hojas de pino. "¿Oye, primo, esta es tu bodega?", le preguntó a Oliver.

"No", dijo Oliver, "es mi casa".

Oliver le mostró a Alister la parte trasera de su agujero, donde almacenaba sus granos. Llevó a su primo hasta arriba de la raíz del viejo roble, donde a veces se sentaba a mirar la puesta del sol. Después sentó a Alister a la mesa de lata de atún y le sirvió una cena de granos de cebada y germen de trigo.

Alister mordisqueó cortésmente su comida. "Esto me parece en realidad muy bueno", tosió y tragó. "Un poco seco, tal vez. ¿Te podría molestar con una tacita de té?"

Oliver preparó dos dedales de té de diente de león. Cuando el dedal se vació, Oliver se puso sus pantaloncillos largos, Alister se puso su pijama de seda, y los dos ratones se acomodaron en sus hojas de roble para dormir.

A la mañana siguiente, Oliver despertó temprano, como siempre. Una familia de petirrojos trinaba en el viejo roble. Alister apretó su almohada contra sus orejas. "¿Qué es todo ese alboroto?", refunfuñó.

"Es el sonido de la mañana en el campo", dijo Oliver. "Es la maravillosa música que me hace saltar de la cama cada mañana y comenzar un nuevo día."

Alister se quitó la almohada de la cara y abrió un ojo. "¿Comienzas tu día en la mañana?", le preguntó. "Cielos, primo, yo normalmente me levanto al mediodía."

"Aquí en el campo nos levantamos al amanecer", dijo Oliver, abrochándose sus pantalones de peto. Despúes sacó su carretilla. Alister rodó hasta la orilla de su cama, metió los pies en sus brillantes zapatos negros y siguió a su primo al exterior.

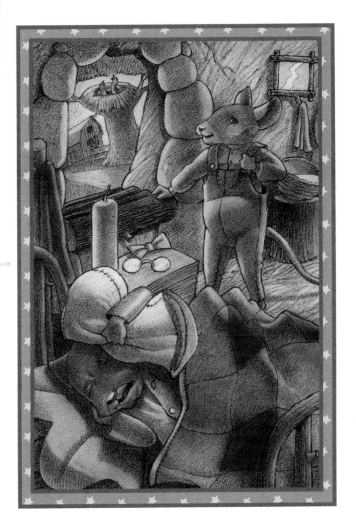

Oliver recolectó bellotas y las apiló cerca de su agujero. "Listo", dijo limpiándose las manos en el pantalón, "he terminado".

"Gracias al cielo", dijo Alister dejándose caer sobre la carretilla. "Diría que ya es hora de un bocadillo y una siesta, ¿no crees?"

Oliver se rió. "El trabajo todavía no ha terminado. Aún tenemos que traer agua."

Alister suspiró. "Simplemente no estoy hecho para la vida de campo", dijo. "Trabajas demasiado para comer. Un ratón podría morirse de hambre aquí. Ven a mi casa un tiempo. Te mostraré lo que es la buena vida."

Alister empacó su pijama de seda en su fina maleta de piel. Oliver empacó sus pantaloncillos largos en su vieja bolsa de viaje. Los dos ratones se dirigieron al hogar de Alister en la ciudad.

Oliver siguió a Alister por campos y valles, por túneles subterráneos, y a través de calles llenas de gente, hasta llegar al lujoso hotel donde su primo vivía.

Alister se detuvo frente a la puerta. "Pisos de mármol pulido y brillantes perillas de bronce", dijo. "Así es como deben vivir los ratones."

Oliver miró la puerta de cristal giratoria. "¿C-c-cómo entramos, Alister?"

"Espera a que la abertura llegue, y después te metes corriendo", contestó Alister. La puerta dio vuelta y Alister desapareció dentro.

Oliver tomó aire y se lanzó. Trató de correr hacia adentro, como Alister le había dicho, pero su bolsa quedó atrapada en la orilla de la puerta. Oliver dio vueltas y vueltas.

13

Oliver habría seguido dando vueltas hasta
hoy, si Alister no hubiera saltado, desatorado
la maleta, y arrastrado a Oliver al interior.

Oliver se sentó en el piso de mármol para
recuperar el aliento. Después siguió a Alister
por el vestíbulo y a través de una pequeña
grieta en la pared, escondida detrás de
cortinas de terciopelo. "Mi apartamento",
dijo Alister cuando estuvieron dentro.

Oliver miró a su alrededor, asombrado. La
casa de Alister estaba llena de candelabros
de oro, copas de cristal y servilletas de lino
bordadas con el nombre del hotel.

"Estamos debajo del escenario." Alister señaló
el agujero que era su puerta principal. "Una
orquesta toca, y las damas y caballeros
bailan todas las noches hasta el amanecer."

"¿Cómo puedes dormir con tanto ruido?",
preguntó Oliver.

"¿Dormir?", exclamó Alister. "Yo duermo durante el día. Aquí hacemos las cosas un poco diferentes. La cena, por ejemplo. En un hotel de cinco estrellas, la cena comienza con bocadillos."

Alister llevó a Oliver al comedor. Esperaron a que el chef no los viera, para luego cruzar la cocina y llegar a la oscura alacena.

"Ten cuidado", dijo Alister. Le hizo un hoyo a la puerta de la alacena. ¡Bajo la débil luz, Oliver pudo ver una trampa para ratones! "Aprenderás a alejarte de ellas", dijo Alister.

Alister guió a Oliver a los estantes de arriba. Mordisqueó elegantes galletas, comió pasta, y hasta logró hacerle un hoyo a una lata de salmón ahumado. "Esta sí", dijo Alister, dándose palmaditas en la barriga, "es una buena cena".

"Esta noche el chef va a preparar pato asado con papas en hierbas finas a la crema". A Alister se le hizo agua la boca. Sus bigotes se agitaron. "Una vez que lo pruebes, nunca más regresarás al campo."

Los ratones salieron de la alacena. La cocina estaba vacía. Se metieron bajo la mesa de trabajo del chef.

"¡Tú otra vez!", gritó el chef. "Y ahora traes a un amigo. No permitiré que se queden en mi cocina de cinco estrellas." El chef tomó una escoba y persiguió a los ratones. Alister y Oliver escaparon saltando al carrito de los postres.

El carrito se inclinó hacia adelante. Oliver cayó de cara sobre un pastelillo cremoso. Alister se aferró a la orilla de una servilleta de encaje y quedó colgando mientras un mesero empujaba el carrito por el comedor.

El carrito se detuvo cerca del apartamento de Alister. El mesero tomó tres platos con pastel de queso y cerezas y se alejó para servirlos.

"Me temo que no habrá plato principal esta noche", dijo Alister. "Pero no te preocupes, primo, lo compensaremos con este carrito de postres." Alister le mostró a Oliver las tartas, empanadas y pasteles de queso.

Alister le enseñó cómo usar su cola para quitarle pedacitos de merengue a una tarta. Oliver mordisqueó la orilla del pastelillo cremoso. Era lo más delicioso que jamás había probado. Se inclinó para darle una mordida más grande. ¡Zas! Oliver cayó de nuevo dentro del pastelillo cremoso.

Oliver se tambaleó fuera del carrito y se sentó en la espesa alfombra a tomar un respiro. "Yo no estoy hecho para la vida de ciudad", dijo. "Te arriesgas demasiado para comer. Me voy a casa."

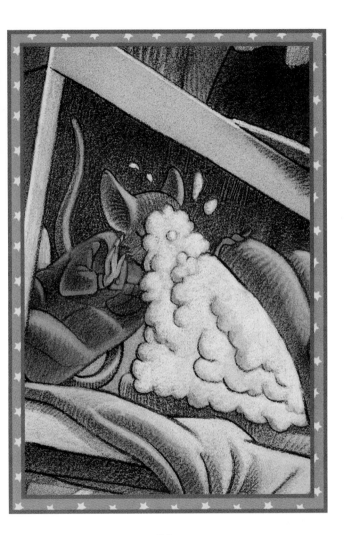

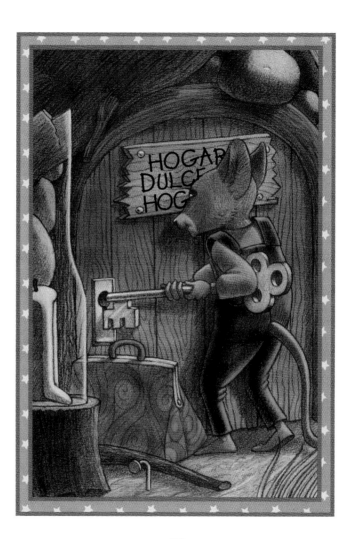

Oliver llevó su vieja bolsa de viaje por las calles llenas de gente, por túneles subterráneos, por campos y valles, hasta llegar a su agujero bajo la raíz del enorme y viejo roble.

Más tarde cenó bellotas y granos de trigo, y después se metió en su cama de hoja de roble. Podía escuchar el chirrido de los grillos y podía ver revolotear a las luciérnagas.

En su lujoso hotel, Alister lamió el merengue de sus bigotes y se acurrucó en su elegante servilleta de lino. Escuchó la música de la orquesta y miró los relucientes vestidos mientras las parejas daban vueltas en la pista de baile.

Los dos ratones suspiraron al mismo tiempo. "Me encanta estar en casa", dijo cada uno de ellos.

Y colorín colorado,
este cuento
se ha acabado.